Pestos, chutneys, condiments, et Cie

CHANTECLER

Préface

Les voici conviées chez vous, ces stars cachées de la cuisine, les pestos, les dips, les chutneys, les pickles et autres huiles et vinaigres aromatisés !
Ces condiments enchantent le palais et mettent l'eau à la bouche. Ils apportent la petite note qui fait toute la différence sur les pâtes, le riz, les salades, la viande ou le poisson.

S'ils se conservent aisément, ils constituent aussi des cadeaux personnalisés à offrir pour toutes les occasions. Alors pourquoi ne pas se décider à en préparer une double quantité, d'en consommer une moitié et de proposer le reste en cadeau ?

Toutes les recettes de ce livre ont été testées et elles sont rédigées de manière à pouvoir être réalisées sans difficulté : c'est un gage de réussite.

Les trente-neuf recettes contenues dans cet ouvrage feront le bonheur des débutants et des cuisiniers chevronnés qui découvriront d'incomparables saveurs.

Abréviations

c. à c.	= cuillerée(s) à café
c. à s.	= cuillerée(s) à soupe
cl	= centilitre(s)
env.	= environ
g	= gramme(s)
kg	= kilogramme(s)
l	= litre(s)
p. d. c.	= pointe(s) de couteau
°C	= degrés Celsius

Conseils pour les recettes

Avant de commencer la préparation, lisez d'abord la recette entièrement. Cela vous permettra de comprendre plus facilement son déroulement.

Durée de préparation

La durée indiquée pour la préparation ne tient compte que la préparation proprement dite. La durée de cuisson est indiquée séparément. Des temps d'attente plus longs, relatifs, par exemple, au refroidissement, ne sont pas inclus.

Pesto au sésame

1 bocal d'environ 20 cl – sur la photo en bas à gauche

Préparation : 25 minutes
Conservation : au frais, 3 à 4 jours

Ingrédients :

2	bouquets de persil plat
1	bouquet de basilic frais
3	gousses d'ail
50 g	de graines de sésame
1 c. à s.	de beurre mou
10 cl	d'huile d'olive de 1re pression à froid
40 g	de parmesan fraîchement râpé
	Sel, poivre du moulin

1. Lavez et séchez le persil et le basilic. Retirez les feuilles des tiges, puis hachez-les.
2. Pelez l'ail, hachez-le grossièrement et placez-le dans un plat. Ajoutez le persil, le basilic, le sésame et le beurre, puis l'huile d'olive en fouettant. Incorporez enfin le parmesan. Salez et poivrez.

Conseil : Versez le pesto dans un bocal à fermeture hermétique, puis versez de l'huile d'olive par-dessus afin qu'il soit suffisamment recouvert. Fermez et mettez au frais pour une plus longue conservation.

Pesto aux cèpes

1 bocal d'environ 15 cl – sur la photo en bas à droite

Préparation : 35 minutes sans temps de trempage
Conservation : au frais, une semaine

Ingrédients :

10 g	de cèpes séchés
12,5 cl	d'eau chaude
30 g	de pignons de pin
1	gousse d'ail
10 cl	d'huile d'olive de 1re pression à froid
1	brin de menthe
50 g	de parmesan fraîchement râpé
1 c. à c.	rase de bouillon de légumes
	Sel, poivre du moulin

1. Rincez les cèpes à l'eau froide, puis versez-les dans un bol, en les couvrant d'eau chaude. Laissez-les tremper 20 minutes. Faites griller les pignons de pin dans une poêle sèche. Puis laissez-les refroidir.
2. Pelez l'ail et hachez-le. Égouttez les cèpes en conservant l'eau de trempage et hachez-les.
3. Faites chauffer 1 c. à s. d'huile d'olive pour faire revenir l'ail. Ajoutez les cèpes hachés avec l'eau de trempage et laissez étuver pendant 5 minutes.
4. Rincez et séchez la menthe. Hachez les feuilles grossièrement.
5. Mettez les cèpes, les pignons de pin, les feuilles de menthe, le parmesan, le reste de l'huile d'olive et le bouillon dans le bol du mixeur et réduisez le tout en purée. Salez et poivrez.

Conseil : Si la préparation s'est figée, réchauffez-la dans une petite casserole en tournant, sans faire bouillir. Puis laissez-la refroidir.

Fromage de chèvre frais au pesto de roquette

12 pièces

Préparation : 20 minutes
Conservation : au frais, environ 4 jours

Ingrédients :

3	gousses d'ail
50 g	de pignons de pin
1	bouquet de roquette (environ 100 g)
1 c. à c.	rase de sel et de poivre du moulin
10 cl	d'huile d'olive de 1re pression à froid
5 cl	d'huile de pépins de raisin
120 g	de parmesan ou de Grana Padano fraîchement râpé
12	fromages de chèvre frais (40 g/pièce)
10	tomates cerises

1. Pelez l'ail. Faites griller les pignons de pin dans une poêle sèche, en tournant plusieurs fois, puis laissez-les refroidir.
2. Lavez la roquette, essorez-la et coupez-la en fines lamelles. Dans un hachoir électrique, hachez finement l'ail, les pignons de pin, le sel, le poivre et la roquette. Ajoutez l'huile d'olive, celle de pépins de raisin et le parmesan ou le Grana Padano. Hachez le tout jusqu'à obtenir une pâte.
3. Dressez les fromages de chèvre sur un plat. Répartissez le pesto par-dessus.
4. Lavez les tomates cerises, coupez-les en deux et répartissez-les sur le plat.

Conseil : Servez avec de la ciabatta ou des petits pains complets. Le pesto classique se prépare avec du basilic.

Pesto fort et amer

1 bocal d'environ 20 cl – en haut sur la photo p. 5

Préparation : 25 minutes
Conservation : au frais, environ 6 semaines

Ingrédients :

8 c. à s.	de pignons de pin
4	grosses gousses d'ail
2	bouquets ou pots de basilic frais
1	bouquet de persil
8 c. à s.	d'huile d'olive de 1re pression à froid
2	piments frais
2	citrons bio (non traités, non cirés)
4 c. à s.	de parmesan ou de pecorino râpé
1 c. à s.	de sucre, sel, poivre, huile d'olive

1. Faites griller les pignons de pin dans une poêle sèche jusqu'à ce qu'ils soient dorés. Pelez l'ail et hachez-le. Rincez le basilic et le persil et séchez-les. Retirez les feuilles de la tige.
2. Placez les feuilles de basilic et de persil, l'ail, les pignons de pin et l'huile d'olive dans un bol haut avant de réduire le tout en purée au mixeur.
3. Rincez les piments, coupez-les en deux, épépinez-les et coupez-les en dés. Lavez les citrons à l'eau chaude, râpez l'écorce ou pelez-la avec un couteau à zeste. Coupez les citrons en deux et pressez le jus.
4. Mélangez les dés de piments, le zeste et le jus de citron, le fromage et le sucre avec les herbes, salez et poivrez.
5. Versez le pesto dans les verres préparés, répartissez l'huile d'olive par-dessus et fermez avec un couvercle à vis. Conservez le pesto au frais.

Pesto à la tomate

1 bocal de 15 cl

Préparation : 20 minutes
Conservation : au frais, environ 3 semaines

Ingrédients :

150 g	de tomates séchées à l'huile
3	gousses d'ail
1	bouquet de basilic
20 g	de parmesan
30 g	d'amandes pelées effilées
10 cl	d'huile d'olive de 1re pression à froid
	Sel
	Poivre du moulin

1. Égouttez les tomates dans une passoire. Pelez l'ail et pressez-le. Rincez le basilic, séchez-le et retirez les feuilles des tiges. Râpez menu le parmesan.
2. Hachez très finement les tomates, les amandes et les feuilles de basilic, ou réduisez-les en purée, puis répartissez-les sur un plat. Incorporez l'ail, le parmesan et l'huile d'olive. Salez et poivrez.

Conseil : Le pesto à la tomate accompagne bien le poisson, la viande, le riz, les pâtes et les légumes. Conservez-le dans un bocal à vis, recouvrez d'huile d'olive et fermez avec un couvercle. Placée au réfrigérateur, cette préparation se conserve trois mois.

Pesto au basilic

1 bocal de 25 cl

Préparation : 20 minutes
Conservation : au frais, environ 6 semaines

Ingrédients :

3 à 4	gousses d'ail
1 c. à c.	rase de sel
50 g	de pignons de pin
8 c. à s.	de feuilles de basilic hachées
100 g	de pecorino ou de parmesan fraîchement râpé
20 cl	d'huile d'olive de 1re pression à froid

1. Pelez l'ail, introduisez les feuilles de basilic avec les pignons de pin et le sel dans le mortier et pilez suffisamment pour obtenir un mélange crémeux.
2. Ajoutez le fromage et continuez à travailler. Pour terminer, incorporez l'huile d'olive.
3. Versez alors le pesto dans les bocaux préparés que vous refermerez avec le couvercle à vis.

Conseil : Servez le pesto au basilic avec des pâtes ou des tomates à la mozzarella.

Pesto à l'ail des ours avec asperges

4 portions

Préparation :	1 heure sans refroidissement
Conservation :	au frais, 4 à 6 jours

Ingrédients :

	Pour le pesto à l'ail des ours :
2	bottes d'ail des ours (environ 90 g)
50 g	de pignons de pin
15 cl	d'huile d'olive de 1re pression à froid
120 g	de parmesan fraîchement râpé
	Sel, poivre du moulin
4	tomates
2 kg	d'asperges blanches
1 l	d'eau
2 c. à c.	rase de sel
1 c. à c.	de sucre
2 c. à s.	de jus de citron

1. Pour le pesto, lavez et essorez l'ail des ours, puis hachez-le en morceaux. Faites dorer les pignons de pin dans une poêle sèche, en tournant souvent. Enfin, laissez refroidir.
2. Placez les pignons de pin et l'huile d'olive dans le bol du mixeur et réduisez le tout en fine purée. Ajoutez l'ail des ours, mixez à nouveau brièvement. Incorporez le parmesan. Salez et poivrez.
3. Lavez les tomates, entaillez-les en croix et plongez-les quelques minutes dans l'eau bouillante. Passez-les ensuite brièvement sous l'eau froide, pelez-les, puis divisez-les en deux, ôtez les pépins et la naissance de la tige ; coupez ensuite la chair en petits dés.
4. Pelez les asperges de haut en bas en retirant soigneusement toute la peau, sans abîmer la tête. Coupez l'extrémité inférieure dure, en ôtant complètement les endroits fibreux. Lavez les asperges et laissez-les égoutter.
5. Introduisez les extrémités coupées et la peau des asperges dans une casserole remplie d'eau. Salez, sucrez, ajoutez le jus de citron et amenez de nouveau à ébullition ; faites cuire légèrement pendant 20 minutes. Passez dans une passoire et récoltez le fond de légumes.
6. Amenez le fond recueilli à ébullition dans une casserole, ajoutez les asperges, puis amenez de nouveau à ébullition et laissez cuire 12 minutes, avec un couvercle. Retirez les asperges avec une écumoire et répartissez-les, mouillées, dans un plat à gratin. Disposez sur leur surface, en diagonale, une bande de dés de tomates où vous répartirez le pesto.
7. Glissez le plat au four, sous le gril. Faites griller les asperges avec le pesto 3 à 5 minutes. Servez aussitôt.

Conseil : Le pesto d'ail des ours peut être préparé quelques jours à l'avance et conservé au frais. La roquette peut remplacer l'ail des ours.

Vinaigrette à l'abricot ou à la pêche

10 portions

Préparation : 15 minutes
Conservation : au frais, 3 à 4 jours

Ingrédients :

1	échalote
2	pêches mûres pelées ou
	4 abricots mûrs pelés
10 cl	de vinaigre balsamique
50 g	de moutarde pas trop forte
1/2 c. à s.	de miel toutes-fleurs liquide
1 c. à c.	rase de sel
	Poivre du moulin
17,5 cl	d'huile végétale
10 cl	d'huile d'olive de 1re pression à froid
2,5 cl	d'huile de noix
	Un peu de jus d'orange

1. Pelez l'échalote et coupez-la en petits dés. Rincez les pêches ou les abricots, séchez-les, coupez-les en deux et retirez le noyau.
2. Introduisez les dés d'échalote avec les moitiés de pêches ou les abricots, le vinaigre, la moutarde, le miel, le sel et le poivre, dans le bol du mixeur et réduisez-les en fine purée. Versez-y les trois huiles en les faisant couler en fin filet, puis mixez à nouveau pour obtenir un mélange homogène. Si la vinaigrette est trop épaisse, ajoutez un peu de jus d'orange.
3. Versez la vinaigrette dans un bocal préparé que vous fermerez avec un couvercle et conserverez au froid. Secouez-la énergiquement avant l'emploi et consommez-la dans un délai de 3 à 4 jours.

Conseil : Cette vinaigrette est si délicieuse qu'on la mangerait volontiers à la cuillère. Elle accompagne merveilleusement les salades de laitue croquante, les tomates et le foie braisé. Au lieu de fruits frais, vous pouvez aussi choisir 125 g de moitiés d'abricots en boîte bien égouttés.

Sauce César

8 à 10 portions

Préparation : 15 minutes
Conservation : environ 3 jours

Ingrédients :

500 g	de mayonnaise allégée
10 cl	de crème liquide et de lait
2	gousses d'ail
3 c. à s.	de parmesan fraîchement râpé
1	filet d'anchois
2 c. à s.	de vinaigre de vin blanc
	Sel, poivre du moulin

1. Mettez la mayonnaise avec la crème fraîche et le lait dans le bol du mixeur. Pelez l'ail.
2. Ajoutez l'ail, le fromage, le filet d'anchois, le vinaigre, le sel et le poivre à la mayonnaise et mixez. Assaisonnez de sel et de poivre.

Conseil : Lavez de la salade (romaine ou iceberg) et coupez-la en larges lanières. Placez la salade dans l'assiette et versez 2 c. à s. de sauce César dessus. Servez avec du parmesan fraîchement râpé, des croûtons et du poulet grillé.

Vinaigrette

Salsa de cabillaud aux betteraves rouges

6 à 8 portions

Préparation : 1 heure 15 sans temps de refroidissement
Conservation : 1 à 2 jours

Ingrédients :

300 g	de filet de cabillaud
	Un peu de jus de citron
40 cl	de fumet de poisson
1	grosse pomme de terre
1	grosse betterave rouge
1/2 c. à c.	de graines de cumin (entières)
1	cornichon
1	petit concombre
1	bouquet de ciboulette
200 g	de crème épaisse
1 c. à s.	de raifort râpé en bocal
	Sel, poivre du moulin
	Jus de citron

1. Rincez le filet de cabillaud sous l'eau froide, séchez-le et arrosez-le de jus dc citron.
2. Versez le fumet de poisson dans une casserole, ajoutez le filet de poisson, amenez à ébullition et faites cuire à feu doux 5 à 7 minutes, le filet devant rester ferme.
3. Retirez le filet de poisson du fond, placez-le sur une assiette afin qu'il refroidisse.
4. Lavez soigneusement la pomme de terre et la betterave rouge et faites-les cuire 30 minutes avec le cumin. Retirez la pomme de terre et laissez-la refroidir un peu. Faites cuire la betterave 30 minutes supplémentaires, à couvert.
5. Retirez la betterave, posez-la dans une passoire et laissez-la égoutter. Pelez-la, ainsi que la pomme de terre, et coupez-les en petits dés.
6. Coupez le cornichon en petits dés. Lavez le concombre, séchez-le, divisez-le en deux, et coupez-le de façon similaire, après avoir retiré les pépins.
7. Mélangez d'abord les dés de cornichon et de concombre avec la crème épaisse et le raifort, puis incorporez le sel, le poivre, les dés de pomme de terre et de betterave rouge.
8. Ôtez les arêtes du filet de poisson, coupez ce dernier en petits dés et incorporez-les délicatement. Assaisonnez avec du sel, du poivre et du jus de citron. Laissez reposer la sauce toute la nuit, au frais, pour une bonne imprégnation. Servez saupoudré de ciboulette coupée.

Conseil : Cette salsa de cabillaud accompagne délicieusement des pommes de terre en chemise ou en salade.

Sauce barbecue

12 à 15 portions

Préparation : 20 minutes
Conservation : au frais, 3 à 4 mois

Ingrédients :

30 cl	de café fort (espresso ou moka)
1	oignon nouveau
1	petit bouquet de persil frisé
1 c. à c.	de Sambal Oelek
1 l (1 kg)	de ketchup

1. Préparez le café et laissez-le refroidir. Pelez l'oignon et coupez-le en petits morceaux.
2. Lavez et séchez le persil ; retirez les feuilles de la tige et hachez-les finement.
3. Versez le café dans un plat. Ajoutez-y les dés d'oignon, le persil, le Sambal Oelek, le ketchup et mélangez soigneusement le tout.
4. Versez la sauce dans des bocaux ou des bouteilles que vous fermerez hermétiquement et placerez au frais. Laissez la sauce macérer.
5. Bien que cette sauce barbecue soit consommable dès le lendemain, elle se conserve 3 à 4 mois.

Conseil : Cette sauce, à recommander pour un barbecue, convient à la viande grillée ou pour enduire des travers de porc (spare ribs) grillés, ou encore comme sauce à tremper pour des aliments frits.

Sauce curry

12 à 15 portions

Préparation : 25 minutes
Conservation : au frais, 3 à 4 mois

Ingrédients :

60 cl	d'eau
1 c. à s.	de curry (indien)
1 c. à s.	de sucre
1 c. à c.	de paprika fort
1 c. à c.	de Sambal Oelek
1 l (1 kg)	de ketchup

1. Versez l'eau dans une casserole, ajoutez le curry, le sucre, le paprika et le Sambal Oelek, puis portez à ébullition.
2. Retirez la casserole du feu. Ajoutez le ketchup et laissez cuire un peu, à feu doux, en tournant continuellement.
3. Cette préparation peut être soit employée immédiatement, soit être versée dans des bocaux ou des bouteilles hermétiques.
4. La sauce se conserve au frais, 3 à 4 mois au moins.

Conseil : La sauce curry accompagne bien les saucisses.

Sauce curry

Moutarde maison (recette de base)

4 pots de 20 cl

Préparation : 25 minutes sans temps de macération

Conservation : au frais et dans l'obscurité, 2 à 3 mois

Ingrédients :

À préparer à l'avance :

250 g	de farine de moutarde blanche et noire
75 cl	de vinaigre de vin blanc
	Jus de 2 citrons
1 c. à s.	de sel d'épices
1,5 c. à s.	de feuilles d'estragon finement hachées
1 c. à c.	de poivre noir fraîchement moulu
1/4 de c. à c.	de cannelle et de clous de girofle
1	pincée de noix de muscade fraîchement moulue
3 c. à s.	de miel toutes-fleurs liquide
1 à 2	gousses d'ail (écrasées dans le mortier avec un peu de sel)
5	échalotes ou 3 petits oignons, coupés en dés minuscules
1/2 c. à s.	de raifort fraîchement râpé ou
1/2 c. à s.	de pointes d'orties hachées

1. Mélangez la farine de moutarde avec le vinaigre et le jus de citron dans un plat en porcelaine ou en verre, puis laissez gonfler. Le mélange reposera, en fonction de la force recherchée, au maximum pendant 7 heures à température ambiante. Évitez qu'il soit trop doux, car plus il est corsé, plus il se conserve longtemps.
2. Incorporez le sel, l'estragon, le poivre, la cannelle, les clous de girofle, la noix de muscade, le miel, l'ail, les dés d'échalote ou d'oignon et le raifort ou les pointes d'ortie au mélange de farine.
3. Versez la moutarde dans des bocaux préalablement préparés, puis fermez avec un couvercle à vis hermétique. Laissez reposer la moutarde au frais, dans un endroit sombre, 2 semaines au minimum.

Conseil : La moutarde accompagne parfaitement le pain frais avec du jambon. Cette recette peut aussi être une base pour d'autres, par exemple pour des sauces à la moutarde forte ou douce (recette p. 22). La farine de moutarde blanche et noire peut être remplacée par de la brune (magasins bio).

Sauce moutarde forte

environ 45 cl

Préparation : 15 minutes sans temps de macération
Conservation : au frais et dans l'obscurité, 1 an

Ingrédients :

1	petit piment rouge frais
6 c. à s.	de moutarde maison (voir recette de base p. 20)
12 c. à s.	de sauce de soja claire
12 c. à s.	de saké (vin de riz japonais)

1. Rincez le piment, séchez-le, coupez-le en deux et retirez les pépins. Émincez les moitiés de piment.
2. Mettez la moutarde dans un bol, incorporez les dés de piment, la sauce de soja et le saké.
3. Versez la sauce à la moutarde dans un bocal et fermez-le hermétiquement. Laissez-la macérer pendant quelques heures et secouez suffisamment, avant de l'utiliser.

Sauce moutarde douce

environ 50 cl

Préparation : 15 minutes sans macération
Conservation : au frais et dans l'obscurité, 1 an

Ingrédients :

12 c. à s.	de moutarde maison (voir recette de base p. 20)
6 c. à s.	de vinaigre de vin blanc
12 c. à s.	d'huile d'olive douce de 1re pression à froid
6 c. à s.	de mirin (saké japonais sucré)

1. Mettez la moutarde dans un bol et ajoutez le vinaigre en fouettant avec le fouet électrique. Laissez-y couler l'huile en filet, sans cesser de fouetter. Enfin, ajoutez le mirin.
2. Versez la sauce moutarde dans un bocal et fermez hermétiquement. Laissez macérer pendant quelques heures. Secouez énergiquement avant utilisation.

Harissa (pâte de piment forte)

environ 60 cl

Préparation : 35 minutes sans temps de macération

Conservation : au frais et dans l'obscurité, 4 mois environ

Ingrédients :

100 g	de piments rouges séchés
4	gousses d'ail
4 c. à c.	de graines de coriandre
4 c. à c.	de graines de cumin
4 c. à c.	de graines de carvi
2 c. à c.	de sel marin
12 c. à s.	d'huile d'olive de 1re pression à froid

1. Mettez les piments dans un plat, recouvrez-les d'eau chaude et laissez macérer pendant 1 heure. Égouttez les piments dans une passoire, puis pelez l'ail.
2. Mettez les piments, l'ail, les graines de coriandre, de cumin, de carvi puis le sel dans un mortier, et écrasez-les pour obtenir une pâte ou encore réduisez-les en purée au mixeur. Ajoutez 10 c. à s. d'huile d'olive à la pâte, avant de verser le tout dans des bocaux. Répartissez le reste d'huile à la surface.
3. Fermez les bocaux avec des couvercles à vis. Vous les conserverez au moins un jour dans un endroit frais, sec et sombre, avant de les ouvrir.

Conseil : Le harissa se conserve 4 mois au frais. Cette pâte épicée, très polyvalente, ajoute la petite note qui fait la différence et accompagne divinement la viande mijotée, la volaille ou les légumes. Elle est aussi utilisée pour les soupes de poisson ou les potées ou bien pour relever les saucisses et les sauces destinées à la salade. Un peu de harissa mélangé à des tomates pelées, épépinées et coupées en dés, auxquelles est ajoutée une pincée de sel, donne une sauce parfaitement épicée convenant aux kebabs.

Dip au potiron

4 portions – environ 25 cl

Préparation : 20 minutes sans temps de refroidissement
Conservation : environ 2 jours

Ingrédients :

1	orange bio (non traitée, non cirée)
30 g	de pépins de courge
3 c. à c.	d'huile de pépins de potiron
150 g	de crème fraîche épaisse
50 g	de yaourt
	Sel, poivre du moulin

1. Prélevez le zeste de l'orange avec une râpe ou avec un couteau à zeste. Coupez l'orange en deux et pressez-la pour recueillir le jus.
2. Faites griller les pépins de courge dans une poêle sèche, en les tournant à plusieurs reprises, afin qu'ils soient bien dorés (vous en réserverez un quart pour la garniture) et hachez-les en petits morceaux.
3. Mélangez les zestes et le jus d'orange avec l'huile de pépins de potiron, les graines de couge hachées, la crème fraîche épaisse et le yaourt afin d'obtenir un mélange lisse. Assaisonnez avec du sel et du poivre. Garnissez avec les graines réservées.

Dip au piment vert

6 portions – environ 30 cl

Préparation : 45 minutes sans temps de repos
Conservation : 15 jours environ

Ingrédients :

20 g	de grands piments verts allongés (dans des magasins asiatiques)
2	gousses d'ail
1/2	bouquet de coriandre fraîche
2 c. à s.	de jus de citron vert
150 g	de crème fraîche épaisse
1/2 c. à c.	rase de sel

1. Rincez les piments et séchez-les. Retirez le pédoncule, puis divisez-les dans le sens de la longueur et épépinez-les. Placez les moitiés de piments, la peau vers le haut, ainsi que les gousses d'ail sur une plaque de four.
2. Faites griller sous le gril préchauffé, 3 à 5 minutes, jusqu'à ce que la peau noircisse et forme des bulles. Tournez l'ail à plusieurs reprises.
3. Mettez les moitiés de piments et l'ail dans un plat que vous recouvrirez d'une feuille de papier-film, avant de laisser reposer une dizaine de minutes.
4. Retirez la peau des moitiés de piments et de l'ail, hachez-les grossièrement. Rincez la coriandre et séchez-la, puis ôtez les feuilles de la tige et hachez-les. Placez les ingrédients préparés avec le jus de citron vert, la crème épaisse et le sel, dans le bol du mixeur et réduisez-les en purée.

Conseil : Le dip au piment vert est parfaitement adapté aux potées brûlantes et au couscous de légumes.

Pinzimonio

8 portions – environ 32,5 cl

Préparation : 10 minutes
Conservation : 3 à 4 mois

Ingrédients :

	Jus de 1 citron
30 cl	d'huile de 1re pression à froid
	Sel, poivre du moulin

1. Coupez le citron et pressez-le pour obtenir le jus que vous verserez, avec un peu d'huile d'olive, de sel et de poivre dans le bol du mixeur. Mixez jusqu'à ce que le sel soit dissous.
2. Ajoutez le reste de l'huile d'olive en battant sans excès, pour éviter que le mélange devienne trouble.
3. Versez la sauce dans des bocaux préparés et fermez. Secouez la sauce avant chaque emploi.

Conseil : Le pinzimonio est employé pour tremper des bâtonnets de crudités (carottes, chou, céleri en branche), des feuilles d'endive ou des feuilles d'artichauts fraîches. Le poisson grillé, les brochettes de viande ou les épis de maïs peuvent aussi être arrosés de quelques gouttes de pinzimonio.

Sauce piquante à l'aneth et à la moutarde

8 portions – environ 50 cl

Préparation : 10 minutes
Conservation : 1 à 2 semaines

Ingrédients :

12 c. à s.	de moutarde pas trop forte
8 c. à s.	de miel liquide
6 c. à s.	de sauce de soja
3 à 4 c. à s.	d'aneth haché
	Un peu de sucre

1. Mélangez la moutarde avec le miel, la sauce de soja, l'aneth et le sucre.

Conseil : Cette sauce convient à merveille aux grillades et aux filets de poisson braisés, aux fruits de mer ou au saumon.

PINZI
MONIO

Ketchup de baies à la cannelle et à la menthe

environ 1,25 l

Préparation : 45 minutes
Conservation : au frais et dans l'obscurité, 4 mois

Ingrédients :

2 kg	de baies fraîches mûres
800 g	de sucre
60 cl	de vinaigre de vin blanc
1/2 c. à c.	de clous de girofle
1/2 c. à c.	de piment moulu
1	bâton de cannelle
3	brins de menthe
	Sel, poivre du moulin

1. Triez les baies, rincez-les, mettez-les dans une casserole avec le sucre, le vinaigre, les clous de girofle, le piment et le bâton de cannelle. Faites-les cuire à feu doux 1 heure environ, en tournant de temps en temps.
2. Retirez le bâton de cannelle. Passez le mélange de baies dans une passoire ou à travers une étamine. Récoltez le jus (ketchup).
3. Rincez la menthe et séchez-la, retirez les petites feuilles pour les couper en fines lamelles. Incorporez-les au ketchup. Salez et poivrez.
4. Remplissez les bocaux immédiatement avec le ketchup chaud et fermez hermétiquement. Conservez le tout au frais, dans un endroit sec et sombre. Le ketchup se conserve 4 semaines.

Conseil : Ce ketchup se sert avec du fromage piquant à pâte dure.

Ketchup de rhubarbe aux raisins de Corinthe

environ 3,75 l

Préparation : 50 minutes
Conservation : au frais, 6 semaines

Ingrédients :

1 kg	de rhubarbe fraîche
4	oignons rouges
400 g	de raisins de Corinthe
17,5 cl	de jus d'orange fraîchement pressé
1 l	de vinaigre de vin rouge
400 g	de sucre brun
1 c. à c.	de pépins de piments (facultatif)
1 c. à c.	de graines de moutarde
	Sel, poivre du moulin

1. Lavez la rhubarbe, retirez les attaches des feuilles et coupez les tiges en morceaux de 2 cm. Pelez les oignons et émincez-les.
2. Mélangez la rhubarbe avec les oignons, les raisins de Corinthe, le jus d'orange, le vinaigre, le sucre, les pépins de piments, les graines de moutarde, le sel et le poivre et faites cuire à feu doux pendant 1 h 30, en mélangeant de temps en temps (le mélange doit avoir la consistance d'une compote).
3. Pour terminer, passez la préparation à travers une étamine. Relevez le ketchup avec du sel et du poivre et versez-le encore chaud dans des bocaux. Fermez les bocaux et laissez macérer environ 4 semaines au frais.

Conseil : Le ketchup de rhubarbe se marie très bien au poisson grillé. Il accompagne aussi les préparations à base de riz.

Ketchup
de rhubarbe
aux raisins
de Corinthe

Huile parfumée au thym

10 portions – 50 cl

Préparation : 20 minutes sans temps de séchage ni de macération
Conservation : au frais et dans l'obscurité, 3 mois

Ingrédients :

3	brins de thym
1	brin de lavande
1	brin de lavande avec fleurs
50 cl	d'huile d'olive de 1re pression à froid

1. Rincez délicatement le thym et la lavande, essuyez-les, puis laissez-les sécher 3 jours sur une feuille de papier essuie-tout.
2. Mettez les herbes séchées dans une bouteille remplie d'huile d'olive. Laissez l'huile reposer au moins 15 jours dans un endroit frais et sombre, comme la cave.

Conseil : L'huile parfumée au thym et à la lavande accompagne à merveille les plats d'agneau, de gibier et de poissons grillés ou encore des plats mijotés avec des légumes et des sauces destinées aux salades.

Vinaigre à l'ail et au basilic

20 portions – 50 cl

Préparation : 10 minutes sans macération
Conservation : au frais et dans l'obscurité, 2 mois

Ingrédients :

6 à 8	gousses d'ail
2	brins de basilic
50 cl	de vinaigre de vin rouge ou blanc

1. Pelez l'ail et enfilez-le sur une brochette en bois. Rincez le basilic, séchez-le et ôtez les feuilles de la tige. Vous les introduirez avec la brochette d'ail dans une bouteille remplie de vinaigre de vin blanc ou rouge.
2. Fermez hermétiquement la bouteille. Laissez reposer le vinaigre à l'ail et au basilic 15 jours au minimum, dans un lieu ensoleillé – un rebord de fenêtre – ou dans un endroit chaud, comme la cuisine.
3. Retirez la brochette d'ail, filtrez le vinaigre à travers une passoire fine et versez-le dans une bouteille bien rincée, puis réintroduisez-y la brochette d'ail et refermez hermétiquement.

Conseil : Entourez le goulot de papier cellophane et fermez avec une ficelle ; vous aurez un très joli présent à offrir.

Relish épicé aux poivrons et aux tomates

3 bocaux de 20 cl

Préparation : 35 minutes sans temps de repos ni de macération
Conservation : au frais et dans l'obscurité, 3 à 4 mois

Ingrédients :

2	poivrons rouges
1 kg	de tomates bien mûres
2 à 4	gousses d'ail
1 à 2 c. à s.	de harissa (voir recette de base, p. 24)
4 c. à s.	d'huile d'olive de 1re pression à froid
	Sel marin

1. Coupez les poivrons en quatre, ôtez les pépins et éliminez les peaux blanches. Lavez-les, séchez-les et posez-les sur la plaque du four que vous glisserez sous le gril. Faites griller les poivrons jusqu'à ce que la peau noircisse et fasse des bulles. Disposez-les dans un plat et laissez-les reposer 15 minutes, recouverts d'un papier-film.
2. Lavez les tomates, séchez-les, placez-les avec les gousses d'ail sur la plaque du four et faites-les également griller, jusqu'à ce que la peau noircisse et fasse des bulles, en les tournant de temps en temps ; les gousses d'ail doivent rester souples. Laissez refroidir les tomates et l'ail.
3. Retirez la peau des poivrons que vous couperez en très petits morceaux, puis pelez les tomates, ôtez les pépins et retirez la naissance de la tige. Hachez grossièrement les tomates. Pelez l'ail et coupez-le en dés miniatures.
4. Mélangez les dés de poivron avec les morceaux de tomates, les dés d'ail, le harissa et l'huile d'olive, puis assaisonnez le tout avec du sel marin avant de faire macérer 2 heures environ.
5. Jetez l'huile excédentaire. Mettez le relish dans des bocaux et fermez. Laissez imprégner 2 semaines dans un endroit frais et sombre.

Conseil : Le *relish* accompagne bien la viande grillée ou la viande braisée, la volaille et le poisson poché, braisé, grillé ou mijoté.

Relish à la moutarde

6 portions – 20 cl

Préparation : 30 minutes
Conservation : 3 à 4 jours

Ingrédients :

1 à 2 c. à s.	de poudre de moutarde jaune

1. Mélangez la poudre de moutarde avec la moutarde ou le vinaigre, puis incorporez la crème épaisse et la mayonnaise.
2. Hachez très finement les œufs, les cornichons, les piments, les câpres, les oignons et incorporez-les au mélange crème-mayonnaise. Enfin, assaisonnez avec du sel et du poivre.

(Suite à la page 36)

2 c. à s.	de moutarde forte ou un peu de vinaigre de vin blanc
150 g	de crème épaisse
2 c. à s.	de mayonnaise
2	œufs durs
2	cornichons aux graines de moutarde
3	cornichons
2	piments rouges en conserve
1 c. à s.	de câpres
2 à 3	petits oignons grelots
	Sel, poivre du moulin

Conseil : Le relish à la moutarde se sert avec de la charcuterie, du rosbif froid, du poisson, des œufs et des médaillons de porc.

Poivrons et tomates à l'aigre-doux

6 bocaux de chacun 50 cl

Préparation : 40 minutes
Conservation : au frais, 6 mois

Ingrédients :

1 kg	de poivrons (rouge, jaune et vert)
750 g	de tomates mûres
1	piment frais
4	gousses d'ail
	Quelques brins de marjolaine ou d'origan
100 g	de sucre ou de miel toutes-fleurs
4 c. à s.	de sel marin
50 cl	de vinaigre de vin blanc
50 cl	d'eau

1. Coupez les poivrons en deux, retirez-en la tige, ôtez les pépins et les cloisons blanches. Lavez et séchez les poivrons, puis coupez chaque moitié en deux à trois lamelles.
2. Faites blanchir les lamelles dans de l'eau salée bouillante, 5 minutes environ, puis rafraîchissez-les sous l'eau froide et faites-les égoutter dans une passoire, avant de retirer la peau.
3. Lavez les tomates, séchez-les et ôtez la naissance de la tige. Vous les piquerez avec une brochette en bois sur leur pourtour et les placerez, en couches alternées, dans les bocaux à conserve.
4. Rincez le piment, séchez-le, coupez-le en petits morceaux et répartissez-le dans les bocaux.
5. Pelez l'ail. Rincez la marjolaine ou l'origan et séchez-la. Faites cuire le sucre ou le miel avec le sel, le vinaigre et l'eau dans une casserole. Versez ensuite le jus sur les tomates en conserve et les lamelles de poivron. Enfin, parsemez de brins de marjolaine et d'origan.
6. Fermez les bocaux hermétiquement et faites-les chauffer dans une casserole à conserve ou à la vapeur ou bien au bain-marie, 30 minutes environ.

Conseil : Cette préparation convient bien lors d'un barbecue, comme entrée ou en accompagnement.

Vinaigre doux aux herbes

environ 1 l

Préparation : 35 minutes sans temps de macération
Conservation : au frais, 3 à 4 mois

Ingrédients :

1	poignée de cerfeuil frais
3	branches de céleri et de persil
3 à 4	brins d'estragon
8	brins de pimprenelle
2	brins d'aneth
3	feuilles d'oseille
4	gousses d'ail
4	oignons nouveaux
75 cl	de vinaigre aux herbes

1. Lavez les herbes et séchez-les. Retirez les feuilles. Pelez l'ail et pressez-le. Lavez les oignons et séchez-les, puis coupez-les en rondelles.
2. Placez les herbes, l'ail et les rondelles d'oignons dans une bouteille préparée que vous remplirez de vinaigre aux herbes avant de la fermer. Laissez macérer le tout au moins 15 jours, à un endroit ensoleillé (fenêtre) ou dans un lieu chaud comme la cuisine. Pour terminer, passez le vinaigre aux herbes à travers une étamine placée sur une casserole. Amenez à ébullition avant de laisser refroidir.
3. Remplissez une bouteille de vinaigre aux herbes et fermez-la.

Conseil : Emballez la bouteille dans une feuille de papier cellophane avec quelques brins d'herbes à condiments séchés et nouez un lien en raphia.

Vinaigre fort aux herbes

environ 1,2 l

Préparation : 20 minutes sans temps d'imprégnation
Conservation : au frais, dans l'obscurité et bien fermé, pendant deux à quatre mois

Ingrédients :

1	bouquet d'aneth et de ciboulette
1	brin de romarin, de thym, de citronnelle
2	poivrons (1 rouge et 1 vert)
2 à 3	morceaux de zeste d'orange bio
1 l	de vinaigre de vin blanc

1. Passez délicatement sous l'eau l'aneth, la ciboulette, le thym, le romarin et la citronnelle avant de les sécher. Lavez les poivrons, séchez-les et divisez-les en deux, dans le sens de la longueur, puis ôtez les pépins et hachez le tout finement. Lavez le zeste d'orange à l'eau chaude et séchez-le.
2. Introduisez les herbes, les poivrons et le zeste d'orange dans une bouteille ou dans plusieurs avant de les remplir de vinaigre.
3. Fermez les bouteilles et secouez-les. Laissez reposer le vinaigre aux herbes au moins 15 jours dans un endroit frais et sombre.
4. Passez le vinaigre à travers une passoire et reversez-le dans des bouteilles soigneusement lavées.

Conseil : Variez les herbes, selon l'emploi et le goût souhaités.

Écorce de pastèque confite

10 portions

Préparation : 40 minutes
Conservation : sans temps de macération, au frais 3 à 4 mois

Ingrédients :

À préparer :

1 kg	d'écorce de pastèque
50 g	de sel
	Eau
1	citron bio (non traité, non ciré)
3 cm	de gingembre pelé
2	gousses d'ail
1	bâton de cannelle
60 cl	d'eau
60 cl	de vinaigre de vin blanc
1 kg	de sucre
1 c. à c.	de pépins de piment

1. Lavez soigneusement l'écorce de pastèque et coupez-la en dés que vous placerez dans un bol. Ajoutez le sel, puis versez de l'eau et mélangez soigneusement le tout avant de laisser reposer pendant 24 heures, à couvert.
2. Placez les morceaux d'écorce dans une passoire, rincez-les et mettez-les dans une casserole. Recouvrez-les d'eau et laissez-les cuire 30 minutes. Déversez l'eau et rincez, une fois encore, les morceaux.
3. Lavez le citron à l'eau chaude, séchez-le, puis coupez-le en fines tranches. Tranchez le gingembre de la même façon, puis pelez l'ail. Coupez enfin le bâton de cannelle en morceaux.
4. Dans une casserole, amenez l'eau à ébullition avec le vinaigre, le sucre, les tranches de citron et de gingembre, l'ail, les morceaux de cannelle et les pépins de piment ; faites cuire 20 minutes.
5. Ajoutez les morceaux d'écorce de pastèque, amenez à nouveau à ébullition et poursuivez la cuisson encore 30 minutes, jusqu'à ce que les fruits soient mous et transparents.
6. Versez les morceaux d'écorce de pastèque avec le jus de cuisson dans des bocaux et fermez hermétiquement. Laissez macérer le tout 1 à 2 semaines.

Conseil : Les morceaux d'écorce de pastèque confite accompagnent de façon originale le jambon ou le saumon fumé et sont aussi savoureux avec du blanc de canard croustillant ou sur un buffet de barbecue.

Champignons marinés

8 à 10 portions

Préparation : 1 heure sans temps de macération

Conservation : au frais, 2 semaines

Ingrédients :

2,5 kg	de petits champignons
1 à 2	piments
6 à 8	gousses d'ail
2	brins de romarin
25 cl	de vinaigre de vin
25 cl	de vin de table
25 cl	d'huile végétale
2 c. à s.	de grains de poivre
2 c. à c.	de sel

1. Nettoyez les champignons, frottez-les avec du papier de cuisine, rincez-les éventuellement et séchez-les.
2. Pour la marinade, lavez les piments et séchez-les. Pelez l'ail et coupez-le en fines tranches. Enfin, rincez les brins de romarin et séchez-les.
3. Versez le vinaigre, le vin et l'huile dans une casserole, ajoutez les piments, les tranches d'ail, les brins de romarin, les grains de poivre et enfin le sel. Faites rapidement bouillir la marinade avant de retirer la casserole du feu.
4. Laissez macérer les champignons dans la marinade 10 minutes environ et laissez refroidir.
5. Versez-les dans des bocaux préparés que vous fermerez hermétiquement.
6. Laisser macérer les champignons froids quelques jours.

Conseil : Servez cette préparation avec des grillades ou présentez-la sur un buffet.

Chutney de dattes

4 portions, environ 50 cl

Préparation : 35 minutes
Conservation : au frais, 2 jours

Ingrédients :

150 g	de dattes fraîches
50 g	de racine de gingembre (éviter les gros bulbes souvent fibreux)
4 c. à s.	de liqueur de figues
1 c. à c.	de Sambal Oelek
2 c. à s.	d'amandes effilées grillées
12,5 cl	de crème fraîche
1 c. à s.	de sherry

1. Retirez la peau des dattes que vous diviserez en deux dans le sens de la longueur ; ôtez le noyau, puis coupez les moitiés en petits dés. Pelez le gingembre, rincez-le, séchez-le et hachez-le.
2. Disposez les dattes et les dés de gingembre dans un plat. Ajoutez la liqueur, le Sambal Oelek et les amandes. Mélangez bien les ingrédients.
3. Battez la crème fraîche de façon à la rendre crémeuse, à moitié ferme, et incorporez-la au mélange. Relevez le tout avec le sherry.

Conseil : Ce chutney convient très bien à la viande de volaille et au rosbif froid. Au lieu de dattes fraîches, vous pouvez aussi utiliser des dattes séchées.

Pickles de fruits exotiques

3 bocaux de chacun 50 cl

Préparation : 50 minutes
Conservation : au frais et dans l'obscurité, 6 mois

Ingrédients :

500 g	de chair d'ananas
1/2	citron bio et 1/2 citron vert bio (non traité, non ciré)
1	melon cantaloup
	Pour le liquide au vin blanc :
50 cl	de vin blanc
130 g	de sucre
1	bâton de cannelle
1/4 de c. à c.	de gingembre en poudre

1. Coupez la chair d'ananas en petits morceaux. Rincez le citron et le citron vert à l'eau chaude, séchez-les et coupez-les en fines tranches. Divisez le melon en deux, retirez les pépins, détachez la chair avec une cuillère parisienne ou avec un couteau et coupez-la en dés.
2. Pour préparer le liquide au vin, amenez le vin, le sucre, le bâton de cannelle et le gingembre à ébullition dans une casserole et laissez cuire environ 5 minutes. Retirez le bâton de cannelle.
3. Ajoutez les morceaux d'ananas, les tranches de citron et de citron vert, amenez à nouveau à ébullition et laissez cuire 1 minute. Ajoutez les boules ou les dés de melon et laissez imbiber 5 minutes, à feu doux.
4. Retirez les fruits avec une écumoire et introduisez-les dans les bocaux préparés.
5. Chauffez à nouveau le liquide à base de vin. Retirez la casserole du feu. Versez ensuite le liquide sur les fruits, jusqu'à ce qu'ils soient recouverts puis laissez refroidir.
6. Après refroidissement, refermez les bocaux hermétiquement.

Conseil : Placez les bocaux dans une boîte, avec un mini-ananas, un citron et un citron vert. Ce sera un cadeau original.

Fromage de brebis au caviar de truite

4 portions – environ 40 cl

Préparation : 25 minutes
Conservation : au frais, 1 à 2 jours

Ingrédients :

2 à 3	brins de persil plat
200 g	de fromage de brebis
100 g	de crème épaisse
1	pincée de safran
2 c. à s.	de caviar de truite (caviar rouge)

1. Rincez le persil, séchez-le, retirez les feuilles des tiges et hachez-les.
2. Placez le fromage de brebis dans un plat et écrasez-le finement à la fourchette, puis mélangez-le avec la crème épaisse pour obtenir une pâte crémeuse.
3. Incorporez le safran, le caviar de truite (écrasez quelques grains) et le persil.

Conseil : Servez avec des pommes de terre au four.

Poivrons au fromage de brebis

3 bocaux de 50 cl

Préparation : 35 minutes, sans temps de refroidissement

Conservation : au frais, dans l'obscurité et fermé hermétiquement, 3 à 4 semaines

Ingrédients :

4	petits poivrons rouges
4	petits poivrons verts
2	oignons
2	piments rouges
200 g	de fromage de brebis
3 c. à s.	de baies de poivre rose
60 cl	de vinaigre de vin blanc
250 g	de sucre
1 c. à c.	rase de sel
1 c. à c.	d'origan
20 cl	d'huile d'olive

1. Retirez le pédoncule des poivrons, enlevez les cloisons blanches et les pépins, puis lavez les poivrons et placez-les, la peau vers le haut, sur une plaque de cuisson préalablement graissée que vous glisserez dans le four.

   Chaleur : environ 220 °C (préchauffé)
   Air pulsé : environ 200 °C (préchauffé)
   Gaz : position 6 (préchauffé)
   Durée de cuisson : environ 12 minutes

2. Lorsque des bulles apparaissent sur les poivrons, sortez la plaque. Couvrez les légumes avec un torchon humide et laissez-les refroidir. Retirez alors la peau.
3. Pelez les oignons, coupez-les en rondelles. Lavez les piments, séchez-les, retirez le pédoncule et divisez-les en deux, dans le sens de la longueur, pour ôter les pépins. Coupez-les ensuite en rondelles. Coupez le fromage de brebis en morceaux.
4. Farcissez les poivrons avec le fromage de brebis, et placez-les en couches alternées dans des bocaux avec les rondelles d'oignon, le piment et les baies roses.
5. Amenez le vinaigre, le sucre et le sel à ébullition dans une casserole, jusqu'à ce que le sucre soit fondu. Ajoutez l'origan, puis incorporez l'huile d'olive. Versez sur les poivrons pour les recouvrir. Fermez les bocaux hermétiquement et conservez au frais.

Conseil : Laissez imprégner les poivrons pendant 3 jours, avant de les manger. Au choix, ajoutez encore deux à trois gousses d'ail pelées.

Pour offrir : Enfilez quelques piments rouges et verts sur un lien et enroulez celui-ci autour du bocal.

Boulettes de yaourt à l'huile parfumée

6 à 8 portions, environ 1 l

Préparation : 35 minutes sans temps d'égouttage ni de refroidissement

Conservation : au frais, 6 à 8 semaines

Ingrédients :

1,5 kg	de yaourt nature
2 c. à c.	rases de sel
2	feuilles de laurier fraîches
3	brins de thym
2	brins d'origan frais
50 cl	d'huile d'olive de 1re pression à froid

1. Versez le yaourt dans un plat et mélangez-le au sel. Passez-le ensuite dans une passoire tapissée d'une étamine ou d'une feuille de papier essuie-tout. Placez la passoire au-dessus d'un plat. Laissez égoutter le yaourt dans le réfrigérateur, de préférence 2 jours.
2. À l'aide des mains humidifiées ou avec deux cuillères, formez des boules de la taille d'un œuf de pigeon avec le yaourt égoutté, qui a alors la consistance de la ricotta. Placez les boulettes couvertes pendant 3 heures au frais, jusqu'à ce qu'elles deviennent fermes.
3. Rincez les feuilles de laurier, les brins de thym et d'origan et séchez-les.
4. Placez les boulettes avec les feuilles de laurier et les brins d'herbes dans des bocaux et versez l'huile d'olive par-dessus pour les recouvrir. Fermez les bocaux hermétiquement.
5. Placez les boulettes de yaourt 1 à 2 semaines au minimum dans un endroit sombre, frais et sec. Après ouverture, consommez-les dans les 6 à 8 semaines.

Conseil : Ces boulettes se dégustent avec du pain croustillant et de la salade croquante.

Fromage de brebis et piments à l'huile d'olive

4 à 8 portions – 2 bocaux de chacun environ 50 cl

Préparation : 15 minutes sans temps de macération

Conservation : au frais et dans l'obscurité, 2 semaines

Ingrédients :

400 g	de fromage de brebis
3	petits piments séchés
3	brins de thym frais
1	brin de romarin frais
3	petites gousses d'ail
12	grains de poivre noir
40 cl	d'huile d'olive

1. Coupez le fromage de brebis en dés et introduisez-le dans les bocaux. Divisez les piments, retirez les pépins et coupez-les en petits morceaux. Rincez les brins de thym et de romarin et séchez-les, puis pelez l'ail et pressez-le légèrement avec les grains de poivre.
2. Ajoutez les piments, le thym, le romarin, l'ail, le poivre aux dés de fromage sur lesquels vous verserez de l'huile pour les recouvrir. Fermez les bocaux, placez-les au frais et dans l'obscurité, au moins 1 mois, afin de laisser macérer. Après ouverture, consommez dans les 2 semaines.

Conseil : Le fromage de brebis accompagne parfaitement le pain croustillant ou les salades croquantes. Coupé en tranches, il est une excellente garniture de pizza. L'huile d'olive du bocal peut ensuite être employée pour les sauces de salade ou pour enduire la viande grillée, le poisson ou les légumes.

Fromage de chèvre et herbes à l'huile d'olive

4 à 6 portions – 1 bocal d'environ 50 cl

Préparation : 20 minutes sans temps de macération

Conservation : au frais et dans l'obscurité, 6 à 8 semaines

Ingrédients :

3	brins de thym frais
1	brin de romarin frais
3	gousses d'ail
6	chèvres : par exemple Crottin de Chavignol (60 à 75 g)
3	feuilles de laurier
6	grains de poivre noir
35 cl	d'huile d'olive

1. Rincez le thym et le romarin et séchez-les, puis pelez l'ail.
2. Mettez les fromages de chèvre, les feuilles de laurier, les brins d'herbes, l'ail et les grains de poivre dans un bocal. Versez suffisamment d'huile d'olive pour recouvrir le tout.
3. Fermez le bocal hermétiquement et placez-le dans un endroit frais et sombre, 1 à 2 semaines au minimum, pour laisser macérer.
4. Consommez les fromages de chèvre dans un délai de 6 à 8 semaines, après ouverture.

Conseil : Le fromage de chèvre se marie harmonieusement avec du pain frais croustillant et de la salade croquante. Tranché, il s'offre comme garniture idéale pour la pizza. Employez l'huile du bocal pour des sauces destinées aux salades ou pour enduire de la viande grillée, du poisson ou des légumes frais. Coupez le fromage en dés, mélangez-le à des pâtes chaudes, et servez aussitôt.

Fromage de brebis mariné

8 portions, 4 bocaux de chacun 50 cl

Préparation : 35 minutes sans temps de macération

Conservation : au frais et bien fermé, 2 mois

Ingrédients :

500 g	de fromage de brebis
	Pour la marinade :
500 g	d'oignons rouges
3	gousses d'ail
100 g	d'olives noires dénoyautées
60 g	d'olives espagnoles vertes, farcies aux poivrons
2,5 c. à s.	d'herbes de Provence ou d'herbes fraîches
60 cl	d'huile d'olive de 1re pression à froid
30 cl	de vinaigre de vin rouge
	Grains de poivre

1. Coupez le fromage de brebis en dés de 2 à 3 cm.
2. Pour la marinade, pelez les oignons et l'ail. Coupez les olives dénoyautées en rondelles, mélangez-les aux oignons, à l'ail et aux herbes de Provence.
3. Mélangez l'huile d'olive avec le vinaigre de vin rouge et les grains de poivre puis incorporez la mixture au mélange.
4. Disposez en couches alternées les dés de fromage de brebis dans quatre bocaux préparés d'une contenance d'un litre chacun. Vous les fermerez avec des couvercles hermétiques. Laissez macérer le fromage de brebis 10 à 14 jours.

Pour offrir : Versez les fromages de brebis dans de jolis bocaux. Vous les présenterez avec un cageot contenant le bocal et les ingrédients crus mentionnés dans la recette, ou bien vous inscrirez la recette sur un carton. Faites brûler délicatement les côtés du carton pour en envelopper le bocal et finissez en cachetant avec de la cire.

Index

Index thématique

Pestos

Dressings et sauces

Ketchup, chutney, relish, vinaigre & huile

Fromages marinés

Titre original : *Alles selbstgemacht - Pesto, Chutneys & Relishes*

Cette édition par Chantecler, Belgique-France
Traduction française : Monique Schleiss
Imprimé en Belgique.

D-MMVI-0001-134

Photos intérieures :
Brigitte Wegner, Bielefeld (p. 7, 9, 13, 43, 47, 51)
Kramp & Gölling, Hambourg (p. 11, 33, 57)
Axel Struwe, Bielefled, Foodstyling Wolfgang Menzel (p. 3, 5, 15-31, 35-41, 45, 49, 53, 55)